LÉGENDES
DE LA MYTHOLOGIE

Pour Anna

Morgan

Jason
et la Toison d'or

Adaptation de Nicolas Cauchy · Illustrations de Morgan

Gautier·Languereau

LA TOISON D'OR

Il était une fois en Grèce, au bord de la mer Égée, une ville qui s'appelait Iolcos, capitale de la Thessalie. Son vieux roi avait deux fils. Le jour de sa mort, suivant la tradition, il légua son pouvoir à Aeson, son fils aîné. Mais Pélias, son second fils, voulait lui aussi régner sur la ville. Il prit les armes contre son frère et le chassa du palais. Le pauvre Aeson dut s'installer avec sa femme en dehors de la ville, pas trop loin cependant, car Pélias voulait le surveiller. Ce que ce dernier ne savait pas, c'est que la femme d'Aeson attendait un enfant. Quand elle le mit au monde, elle le confia au centaure Chiron qui l'emmena loin de la ville. Si Pélias avait connu l'existence de ce petit garçon, sans doute aurait-il cherché à le tuer pour éviter que, plus tard, celui-ci ne lui réclame le trône de son père. Cet enfant portait le nom de Jason.

Les années passèrent.

Un jour qu'il avait organisé, sur la plage, une grande fête en l'honneur de Poséidon, le dieu de la mer, Pélias remarqua dans la foule un jeune homme vêtu curieusement d'une peau de panthère et chaussé d'une seule sandale. Son sang ne fit qu'un tour car un oracle lui avait dit de se méfier d'un homme qui ne porterait qu'une chaussure. Pélias s'approcha de l'étranger et lui demanda :

« Jeune homme, pourquoi ne portes-tu pas tes deux sandales aux pieds ?

— J'en ai perdu une en traversant la rivière.

— Jeune homme, dis-moi ton nom, celui de ton père, et la raison pour laquelle tu es venu à Iolcos.

— Mon nom est Jason. Je suis le fils d'Aeson, le vrai roi de cette ville, que Pélias, le traître, a honteusement chassé. J'ai été élevé à la campagne par Chiron le centaure. Aujourd'hui, j'ai l'âge d'être roi. Et je suis venu à Iolcos pour réclamer le trône qui me revient.

– Tu me sembles bien jeune pour régner », répondit Pélias.

Puis, se tournant vers la foule, il ajouta :

« Écoutez tous, mes amis ! Écoutez la question que je pose à ce jeune homme et voyez si sa réponse est celle d'un roi. Dis-moi, Jason, si tu étais roi et qu'un étranger veuille prendre ta place, que ferais-tu ?

– Je lui offrirais mon trône à la seule condition qu'il me rapporte la Toison d'or. »

Comme il y avait dans la foule de nombreuses personnes qui ne connaissaient pas le mythe de la Toison d'or, Jason leur raconta cette histoire :

« Il y a très longtemps, un roi nommé Athamas avait décidé d'offrir aux dieux ses deux enfants en sacrifice. Son fils s'appelait Phrixos et sa fille Hellé. Aucun dieu n'aurait voulu un tel sacrifice, mais Athamas était si entêté que Zeus lui-même, le plus grand des dieux, décida d'intervenir. Il envoya aux deux enfants un bélier ailé à la toison d'or qui les emporta loin de leur terrible père. Après un long voyage dans les airs, l'équipage arriva en Colchide où régnait Aeétès. Phrixos sacrifia alors le merveilleux animal à Zeus et pour remercier le roi de son bon accueil, lui offrit la Toison d'or. C'était un cadeau d'une valeur inestimable. Aeétès cloua la Toison contre un chêne sacré et posta un terrible dragon pour la garder. Ainsi, personne n'osa-t-il jamais la lui voler.

– Si je comprends bien, reprit Pélias, tu donnerais à celui qui voudrait prendre ta place une mission si difficile qu'il aurait toutes les chances de ne jamais revenir ? C'est une bonne idée, Jason, et je te remercie de me l'avoir donnée. Sache que je suis Pélias, ton oncle et le roi de cette ville. Puisque tu me réclames le trône, voici ma réponse : tu seras roi à ma place le jour où tu m'auras rapporté la Toison d'or. »

Et c'est ainsi que commença l'incroyable histoire de Jason et de la Toison d'or.

La Construction de l'Argo

Dès le lendemain, Jason envoya des messagers dans toute la Grèce, demandant des volontaires pour prendre la mer avec lui. Il commanda également à Argos, fils de Phrixos, qui était menuisier, un bateau de cinquante rameurs. Une fois le travail terminé, la déesse Athéna elle-même fixa dans la proue une poutre magique qui avait le don de parole. Et Argos décida de baptiser le navire de son nom : il l'appela Argo, qui signifie le Rapide.

Peu de temps après, de nombreux volontaires se présentèrent pour embarquer. Jamais on n'avait auparavant réuni un si brillant équipage. Les plus célèbres étaient Héraclès, qui avait interrompu ses douze travaux pour aider Jason ; Orphée, le poète, dont la voix charmait même les animaux féroces ; Tiphys, le pilote ; les deux fils de Borée, le dieu du Vent du Nord ; et Castor et Pollux, les deux frères champions de lutte.

Le soir venu, les Argonautes, car c'est ainsi qu'on les appela, désignèrent unanimement Jason comme leur chef et fêtèrent leur départ lors d'un grand banquet. Aux premières lueurs du jour, l'Argo quitta Iolcos pour, peut-être, ne jamais y revenir.

L'ÎLE DE LEMNOS

Les Argonautes firent leur première étape sur l'île de Lemnos, dans le nord de la mer Égée. Sur la plage, plusieurs centaines de guerriers casqués attendaient les Argonautes, prêts à livrer bataille. Mais Jason ne voulait ni se battre ni piller l'île. Il envoya donc en ambassadeur son meilleur homme rassurer les habitants :

« Nous sommes venus en paix », leur dit-il.

Puis il invita ses compagnons à descendre à terre. Seul Héraclès demeura sur le navire pour le garder.

Convaincus que tout danger était écarté, les guerriers de Lemnos posèrent leurs armes et retirèrent leurs armures. Et là, quelle surprise ! Sous les casques, les Argonautes découvrirent de longues chevelures ! Ils se regardèrent, très étonnés : était-ce une coutume pour ces hommes de porter les cheveux longs ? La réponse était plus simple : les guerriers de Lemnos étaient en fait des femmes.

Elles s'approchèrent des Argonautes et, après les avoir jaugés du regard, se décidèrent à les inviter.

La ville ne manquait de rien sauf d'hommes. Le soir venu, alors que tous prenaient leur repas, Jason demanda aux femmes où étaient leurs maris. L'une répondit qu'il était parti en voyage, une autre qu'il était mort à la guerre ; une autre encore affirmait qu'il avait disparu mystérieusement. Bref, chacune d'elles tentait de dissimuler de son mieux la terrible vérité : dans un accès de fureur et de jalousie, les femmes de Lemnos avaient assassiné leurs maris. Il faut bien expliquer cependant que les multiples infidélités de ceux-ci méritaient une sévère punition.

Mais quelle horreur et quel aveu difficile à faire ! Heureusement pour elles, ni Jason ni aucun de ses compagnons n'allèrent plus avant dans leur interrogatoire.

Plusieurs jours passèrent et les Argonautes commençaient à oublier leur grande mission, troublés par les charmes des femmes de Lemnos. Mais Héraclès, resté seul sur le bateau, s'impatientait. Ne voyant personne revenir au bout d'une semaine, il s'arma de sa massue et partit à la recherche de ses compagnons. Arrivé de bonne heure aux portes de la ville, il cogna avec sa massue et se montra si convaincant que les Argonautes s'empressèrent de quitter les femmes de Lemnos pour regagner le navire.

Restées sur la rive, celles-ci pleuraient le départ de leurs nouveaux compagnons. Mais, comparé à la cruauté dont elles avaient fait preuve à l'égard de leurs maris, ce n'était qu'une juste punition.

LE MARIAGE
DU ROI CYZICOS

Quelques jours plus tard, les Argonautes pénétrèrent dans l'Hellespont, ce détroit qui sépare l'Europe de l'Asie, et débarquèrent sur une île appelée Cyzique. Tous les villages qu'ils traversèrent étaient en fête et le roi les accueillit à bras ouverts.

« Mes chers amis ! Vous ne pouviez pas choisir un meilleur jour pour débarquer. Ce soir, moi, Cyzicos, roi de cette île, j'épouse Clité, la plus adorable des jeunes filles. Voulez-vous vous joindre à nous et partager notre bonheur ? »

Les Argonautes acceptèrent avec joie et la fête dura toute la nuit. Après s'être reposé le jour suivant, ils reprirent la mer de nuit, non sans avoir reçu de leurs hôtes de nombreux cadeaux. Mais comme la lune était cachée par des nuages et qu'un vent mauvais secouait l'Argo en tous sens, Jason décida de débarquer sur la côte la plus proche et d'attendre là des conditions plus favorables. Ses compagnons allumèrent un grand feu et, enroulés dans leurs couvertures, s'apprêtèrent à dormir. Hélas ! À peine s'étaient-ils allongés que des bruits d'épées les réveillèrent. On les attaquait ! Debout, ils saisirent leurs armes et livrèrent un combat sans merci. Malgré la nuit et la fatigue, les Argonautes prirent l'avantage, et sous leurs coups tombèrent un à un leurs assaillants.

Enfin, le soleil apparut. Avant que le premier rayon n'eût éclairé son armure, Jason avait enfoncé son épée dans la poitrine de son dernier adversaire.

« Eh bien, lui dit Jason, puisque je n'ai pu te voir vivant, montre-moi au moins ton visage mort. »

Ayant dit cela, Jason retira le casque de son adversaire, mais le visage qu'il aperçut le glaça de terreur. Ce visage que la nuit lui avait caché, c'était celui du bon roi Cyzicos. Les vents avaient ramené l'Argo d'où il était parti ! Rassemblant ses dernières forces, Cyzicos lui dit :

« Hélas, Jason, mon ami qui m'a tué, dans l'obscurité nous avons confondu votre bateau avec celui de pirates. Quelle erreur fatale ! Me voici tué le jour de mon mariage ! »

Il ne put ajouter un mot. Serrant la tête du roi contre sa poitrine, Jason pleura amèrement.

Après trois jours de funérailles, l'Argo quitta définitivement l'île de Cyzique pour ne plus jamais y revenir.

La Disparition d'Hylas

« Faisons un concours ! lança un matin Héraclès. Et récompensons le meilleur rameur d'entre nous !

– Hourra ! » s'exclamèrent les Argonautes.

Et tous se mirent à la rame.

Au bout de quelques heures, alors que l'Argo bondissait sur les vagues à la vitesse d'un oiseau, seuls Castor, Pollux, Jason et Héraclès continuaient de ramer... mais plus pour longtemps ! Comme Castor commençait à faiblir, Pollux lâcha sa rame pour ne pas obliger son frère à s'épuiser. Peu après, frappé par le soleil et assommé de fatigue, Jason s'évanouit. Héraclès avait-il gagné ? Non, car au même moment, sa rame cassa net. Difficile dans ces conditions de savoir qui avait remporté la course !

Héraclès était furieux et il profita de l'escale sur la côte de Mysie pour aller tailler une nouvelle rame dans un arbre. Quand il fut revenu sur le navire, personne n'osa lui adresser la parole parce qu'on le savait encore de méchante humeur.

« Hylas ! cria-t-il. Où donc est-il, ce serviteur de malheur ? Jamais là quand on a besoin de lui. »

Parti chercher de l'eau plusieurs heures auparavant, Hylas, le serviteur d'Héraclès, n'était pas réapparu. Personne ne savait où il se trouvait. Héraclès descendit à terre et pénétra dans la forêt qui bordait la côte en hurlant :

« Hylas ! Hylas ! »

Bientôt, il retrouva Polyphème, un autre Argonaute parti lui aussi à la recherche du jeune homme.

« J'ai entendu un cri près de cette mare, lui raconta-t-il, mais regarde toi-même : aucune trace de lutte avec un homme ou une bête. »

Deux jours plus tard, comme Héraclès ne s'était toujours pas décidé à revenir sur l'Argo, Jason choisit de repartir sans lui. Héraclès chercha encore plusieurs jours puis abandonna ses recherches pour poursuivre les Travaux qu'il devait accomplir. Jamais il ne sut la vérité.

Pour la connaître, il aurait fallu la demander aux Nymphes qui vivaient autour de la mare. Voici ce qu'elles auraient raconté.

Lorsqu'elles virent Hylas s'approcher, elles le trouvèrent de fort belle constitution.

« Bel étranger, lui dirent-elles, voudrais-tu visiter nos habitations dans le fond de cette mare ?

– Mesdames, répondit Hylas, non ! Je ne sais pas nager !

– Nager ? répondirent-elles. Mais quelle importance ? Cela te sera inutile si tu viens avec nous ! Nous te rendrons immortel ! »

Il n'en fallut pas plus pour convaincre Hylas.

Depuis, personne ne l'a jamais revu.

Amycos, le roi arrogant

Plus en avant dans la mer de Marmara régnait le roi Amycos.

« Amycos ? se dit Jason. Ce nom me plaît ! Je suis certain qu'il ne nous refusera ni eau ni vivres. »

Jason ne se trompait pas. Cependant le roi lui imposa une terrible condition : se battre contre lui au pugilat et remporter le combat. Or, Amycos était le meilleur pugiliste du monde et il provoquait systématiquement les étrangers.

« Et s'ils refusent ? lui demanda Jason que ces vantardises agaçaient.

– Ils meurent, répondit le roi. À moins qu'ils ne sachent voler comme les oiseaux, car je les précipite du haut d'une falaise.

– Et s'ils gagnent ?

– Ce n'est jamais arrivé. »

Jason trouva le roi prétentieux, arrogant et cruel. Il posait déjà la main sur son épée lorsque Pollux s'approcha pour se proposer comme adversaire. Les yeux d'Amycos se mirent à briller : Pollux était beaucoup moins grand que lui et plus vieux de quelques années. Il en viendrait facilement à bout. Les deux adversaires enfilèrent leurs gants. Ceux d'Amycos étaient garnis de clous de bronze.

Le combat commença mal pour Pollux. Il reçut d'abord un coup dans le nez, puis un autre dans le ventre : Amycos était sûr de gagner. Mais il se trompait. En réalité, Pollux observait son adversaire et comprit vite qu'il devait agir avec souplesse, esquiver ses coups et multiplier lui-même ses contres. Au bout d'une heure de combat, Amycos avait reçu tellement de coups qu'il dut se mettre à genoux et demander pitié. Il était vaincu. Pollux aurait pu le tuer, mais il lui laissa la vie sauve à la condition qu'il jure de ne plus jamais provoquer qui que ce soit. Humilié par sa défaite, Amycos jura. Et il tint parole !

PHINÉE ET LES HARPYES

Après quelques jours passés sur la mer de Marmara, Jason dut se rendre à l'évidence : il ne savait plus du tout où chercher la Toison d'or. Heureusement, l'Argo avait fait escale sur la côte de Thrace. C'est là que vivait Phinée, un devin très réputé, frappé de cécité par Zeus pour avoir révélé aux hommes les secrets de leur avenir.

« Nous sommes sauvés », s'écria Jason.

Quand Phinée s'approcha des Argonautes, ceux-ci s'étonnèrent de le voir si maigre et fatigué.

« Mangeons ! », dit-il seulement.

On dressa la table mais lorsque les plats arrivèrent, Phinée ne fit pas un geste pour se servir. Les Argonautes se regardaient sans parler ni bouger.

« Vous avez faim ? leur demanda-t-il. Moi aussi, j'ai faim, je meurs de faim !

– Eh bien, cher Phinée, déclara Jason, mangeons ! Je t'en prie, sers-toi.

– Je voudrais bien, mais elles ne veulent pas !

– Elles ? Qui elles ? »

Pour toute réponse, Phinée désigna le ciel. À la verticale de la table, tournoyant comme des vautours, deux horribles Harpyes épiaient le devin. Dès qu'il avança la main pour se saisir d'un plat, elles se précipitèrent vers la table et, en un clin d'œil, dévorèrent tout ce que leurs dents et leurs griffes acérées pouvaient saisir.

« Voyez ces infâmes Harpyes, se lamentait Phinée, ces affreux rapaces à tête de femme : elles vont me faire mourir de faim !

– Non ! dirent les Argonautes. Regarde ! Ce plat est encore intact !

– Attendez ! Ce n'est pas terminé », soupira le devin.

Il n'avait pas fini de parler que les Harpyes lancèrent du ciel d'énormes crottes qui souillèrent le mets qui restait sur la table.

« Débarrassez-moi d'elles, supplia Phinée, et je vous dirai tout ce que vous voulez connaître. »

Par chance, il se trouvait parmi les Argonautes les deux fils de Borée, dotés chacun de deux ailes. Dès que les Harpyes prirent la fuite, ils se saisirent de leurs épées et volèrent aussitôt derrière elles. Les Harpyes n'avaient pas l'habitude d'être poursuivies. Aussi, les deux fils ailés de Borée les rattrapèrent-ils sans trop de difficultés.

« Pitié ! crièrent-elles, terrorisées.

– Nous vous épargnerons si vous jurez de ne plus jamais dévorer les plats de Phinée.

– Nous jurons !

– Il faut aussi jurer de ne plus jamais crotter sa table. »

Là les Harpyes hésitèrent quelque peu car c'était leur plaisir favori. Mais comme les deux frères levaient leurs armes, elles s'exécutèrent sans tarder.

Enfin débarrassé des Harpyes, Phinée commença par se faire servir un fabuleux repas et mangea comme quatre. Puis il indiqua à Jason comment trouver la Toison d'or.

Le lendemain, les Argonautes partirent en direction de la Colchide.

LES ROCHES BLEUES

Phinée ne s'était pas contenté d'indiquer aux Argonautes l'emplacement précis de la Toison d'or, il les avait aussi prévenus des dangers qui les guettaient en chemin. Le premier, notamment, consistait en un chenal long et étroit, creusé entre deux hautes falaises qui avaient la particularité de se refermer au passage des bateaux. Ces falaises étaient appelées les Roches Bleues ou parfois aussi les Symplégades, c'est-à-dire « les Rochers-qui-se-heurtent ».

« Jamais nous ne pourrons passer, gémissaient les Argonautes. Nous allons tous mourir écrasés ! »

Pour toute réponse, Jason prit une colombe blanche et lui dit :

« Va, ma belle ! Si tu parviens à passer à travers ces falaises, alors nous y parviendrons aussi. »

La colombe s'envola. Quand les Roches Bleues se refermèrent, elle était déjà sortie du passage. Seule la plus longue plume de sa queue resta coincée.

« Allons-y ! » cria Jason.

Dire que les Argonautes étaient convaincus de pouvoir franchir le passage serait mentir. Quand l'Argo s'engouffra entre les falaises et que les rochers commencèrent à se resserrer en grinçant, la panique gagna l'équipage.

Heureusement, Orphée prit sa lyre et chanta pour donner du courage aux rameurs. Son chant était si beau que, oubliant leurs craintes, les Argonautes redoublèrent d'efforts.

Quand les Roches Bleues se refermèrent, l'Argo était sorti du passage. Enfin presque : comme la colombe avait laissé la plus longue de ses plumes, de même la décoration qui ornait l'arrière de l'Argo resta coincée entre les Roches.

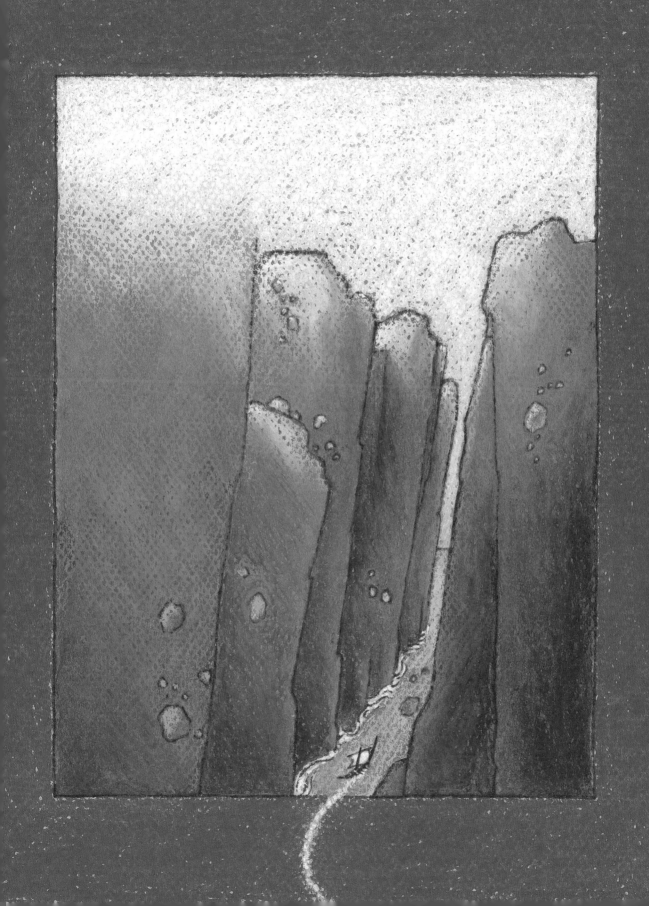

LES OISEAUX
AUX AILES DE MÉTAL

Après encore plusieurs jours de navigation, l'Argo aborda la petite île d'Arès, dieu de la guerre, autour de laquelle tournoyaient d'immenses bandes d'oiseaux. Ce n'étaient pas des oiseaux ordinaires. Dès qu'ils aperçurent le navire, ils lui lancèrent des plumes en métal très dur, et tranchantes comme des lames de rasoir.

Quelques hommes furent blessés, mais heureusement, le devin Phinée les avait prévenus de ce danger comme du précédent. Aussi, après avoir mis leurs casques, les Argonautes se scindèrent-ils en deux groupes : les uns ramaient tandis que les autres frappaient leurs boucliers avec leurs épées. Le vacarme ainsi obtenu était si terrible que les oiseaux prirent peur et s'éloignèrent pour ne plus revenir.

Désormais, l'Argo ne se trouvait plus très loin de sa destination. Le lendemain matin, les montagnes du Caucase qui dominent la Colchide se dressèrent devant les rameurs. Jason dissimula le navire dans une baie bien abritée, puis, après avoir offert du vin mélangé à du miel aux dieux du pays, il réunit un conseil de guerre.

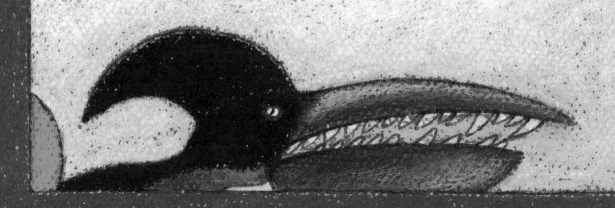

Les Taureaux
aux pieds d'airain

En habile négociateur, Jason avait décidé de demander la Toison d'or comme un service et de ne pas recourir à la force. Mais le roi Aeétès fut extrêmement contrarié par cette demande car il n'était pas du tout disposé à se séparer de sa Toison. Finalement, comme tout le monde le suppliait d'écouter la requête de Jason, Aeétès déclara :

« Je te la donnerai, cette Toison. Mais pour être certain que tu es aussi brave que tu le prétends, tu devras réaliser un petit travail. Suis-moi. »

Aeétès amena Jason jusqu'à un champ entouré d'une haute et solide clôture. Derrière elle se tenaient deux énormes taureaux aux pieds d'airain, qui appartenaient à Héphaïstos, le dieu du feu. De leurs naseaux sortaient des flammes.

« Voici ta mission, dit Aeétès. Je te charge de mettre sous le joug ces deux taureaux, puis de labourer ce champ que tu vois et qui appartient à Arès. Ce n'est pas tout. Tu devras ensuite y semer ces dents de dragon.

– Dois-je m'exécuter sur l'heure ? demanda Jason, très embarrassé.

– Non, je ne suis pas un monstre. Je te laisse cette nuit pour te reposer. »

Dans ses appartements, Jason se lamentait : il n'avait aucune idée de la manière dont il devait s'y prendre. Fallait-il renoncer ? Fallait-il risquer de mourir pour cette Toison ? Soudain, on frappa à la porte. C'était Médée, la fille du roi.

« Excuse-moi de te déranger en pleine nuit, dit-elle, mais je peux t'aider.

– M'aider ? dit Jason en riant. Avec ces mains fines et ces bras délicats, tu voudrais t'attaquer à ces taureaux forts comme des lions ?

– Ne ris pas, Jason ! reprit-elle, très en colère. Sache que je suis magicienne et que j'ai là un flacon qui te sera d'une grande utilité.

– Magicienne ? Un flacon ? Ton discours m'intéresse, continue !

– Le flacon que voici contient un extrait de fleur magique qui te protégera des flammes des taureaux.

– Merci, Médée ! Tu es gentille ! Donne-moi donc ce flacon que tu serres contre toi.

– C'est qu'il y a une condition, répondit Médée en rougissant.

– Je vois, rien n'est jamais gratuit par ici. Que dois-je donc faire pour le mériter ? Tordre le cou à un monstre ? Couper la tête d'un géant ? Dis-moi quelle affreuse chose je dois faire encore !

– Cette chose que je te demande n'est pas si horrible que tu sembles le craindre : épouse-moi !

– Que tu deviennes ma femme ? Mais je ne te connais pas ! Nous nous sommes vus pour la première fois ce matin même !

– Oui, c'est vrai, mais je t'ai aimé dès le premier instant où je t'ai vu. Et je ne désire désormais qu'une seule chose, devenir ta femme. »

Jason accepta et jura devant les dieux de lui être fidèle toute sa vie.

Le lendemain, il enduisit son corps, sa lance et son bouclier avec le contenu du flacon et réussit sans trop de peine à mettre les taureaux sous le joug. Alors, toute la journée durant, il laboura le champ d'Arès. Le soir venu, il sema les dents de dragon qu'Aeétès lui avait données, mais là, une terrible surprise l'attendait. Chaque dent semée donnait naissance à plusieurs hommes armés qui sortaient du sillon pour l'attaquer. Jason eut la judicieuse idée de se cacher, car en moins de temps qu'il n'en faut pour le dire, c'est toute une armée qui était sortie de terre. De loin, il lança une pierre à la tête d'un soldat et aussitôt les hommes se livrèrent entre eux un combat sans merci, s'accusant réciproquement de l'avoir jetée. Jason n'eut plus qu'à achever les blessés et c'est ainsi qu'il put retourner victorieux auprès du roi.

La Conquête
de la Toison d'or

Malgré son serment, Aeétès n'était cependant pas disposé à offrir la Toison à Jason. Il le menaça même de tuer tous ses hommes et de brûler l'Argo s'ils ne quittaient pas le pays sur l'heure. Furieux, Jason se retira dans ses appartements : il savait que les soldats du roi étaient trop nombreux pour espérer gagner une bataille.

« De quoi te soucies-tu ? lui demanda Médée. Ne suis-je pas ta femme maintenant ? Ne puis-je pas t'aider ? Écoute, je sais où est cachée la Toison. Allons la chercher ! Je m'occupe de déjouer l'attention du dragon qui veille sur elle jour et nuit.

– Ma pauvre Médée ! Tu n'es pas de taille à affronter un tel monstre ! Il est immortel et pèse aussi lourd que mon bateau !

– Aie confiance. Demande à tes hommes de préparer notre fuite et suis-moi. »

La Toison était cachée à quelques kilomètres de la ville. Médée commença par réciter quelques formules magiques puis, prenant des branches de genévriers fraîchement coupées, elle aspergea les paupières du dragon avec quelques gouttes de ce somnifère. Le dragon s'endormit aussitôt. Jason bondit alors jusqu'à la Toison,

la détacha du chêne sacré où elle était clouée puis, prenant Médée par la main, il se hâta vers l'Argo qui les attendait, chaque rameur à son poste. Quand Aeétès apprit que Jason était parti avec sa fille et la Toison, il envoya ses meilleurs hommes livrer bataille contre les Argonautes. Mais le navire réussit à quitter la grève sans trop de dommages et Médée soigna par sa magie les Argonautes qui avaient été blessés dans l'échauffourée.

LA MORT
DU FRÈRE DE MÉDÉE

Si les Argonautes avaient pu ainsi facilement échapper à l'armée d'Aeétès, c'est surtout parce que Médée avait eu recours à la plus ignoble des ruses. Comme son jeune frère avait réussi à la rejoindre près de l'Argo dans l'espoir de se sauver avec elle, elle l'attrapa, l'assomma et le découpa en petits morceaux qu'elle jeta à la mer dès que l'Argo eut levé l'ancre.

Quand Aeétès vit flotter sur l'eau les morceaux du corps de son fils, il ordonna à ses hommes d'interrompre la poursuite tant qu'ils n'auraient pas ramassé jusqu'au dernier de ces morceaux. Pendant ce temps, l'Argo en avait profité pour filer au loin.

Mais Zeus rentra dans une terrible colère à la vue d'un meurtre si affreux. Il lança sur l'Argo une tempête qui aurait pu l'engloutir si le bateau ne s'était pas soudain mis à parler. C'était la poutre magique qu'Athéna avait fixée dans la proue.

« Soldats ! leur dit la voix. C'est Zeus qui vous envoie cette tempête, pour le meurtre dont vous êtes tous responsables. La seule chose qui peut vous sauver est de vous laver de ce crime. Purifiez-vous et Zeus oubliera sa colère. »

Les Argonautes s'exécutèrent sans discuter. Ils se rendirent jusqu'à l'île d'Aéa où vivait la tante de Médée, Circé, la magicienne. Après avoir écouté sa nièce, elle accepta de purifier les Argonautes.

Ensuite, reprenant son périple, l'Argo traversa la mer des Sirènes. Personne ne pouvait rivaliser avec la beauté de leurs chants qui attiraient les marins au fond de l'eau. Personne sauf Orphée. Dès que les Sirènes se firent entendre, il prit sa lyre et chanta, chanta et chanta encore jusqu'à ce que l'Argo ait quitté leurs parages.

Après bien des détours, et alors qu'ils s'éloignaient de l'île de Corcyre, un terrible vent du Nord les entraîna vers la Libye. Là, une vague gigantesque souleva le bateau par-dessus les rochers de la côte si bien que, lorsqu'elle se retira, l'Argo se retrouva échoué sur le sable du désert. Comme il était impossible de regagner la mer à cause des rochers, les Argonautes hissèrent le navire sur leurs épaules et le portèrent jusqu'à un lac situé à plusieurs dizaines de kilomètres. Il leur fallut douze jours et beaucoup seraient morts de soif s'ils n'avaient trouvé une source en cours de route. C'était Héraclès qui l'avait fait jaillir lorsqu'il était allé chercher les Pommes d'or des Hespérides*. Par bonheur, le lac était relié par un chenal à la mer.

* Voir, dans la même collection, **Les douze travaux d'Hercule**

TALOS, LE GÉANT DE MÉTAL

Remontant vers le nord, les Argonautes atteignirent la Crète où les attendait une terrible sentinelle appelée Talos, un géant de métal construit par Héphaïstos, le dieu forgeron. Infatigable, il faisait chaque jour trois fois le tour de l'île pour empêcher les étrangers d'y pénétrer et les habitants d'en sortir sans l'autorisation du roi. Ses armes favorites étaient d'énormes pierres qu'il lançait du haut des falaises sur les navires. Et si jamais un étranger parvenait tout de même à débarquer sur l'île, Talos sautait dans un immense feu, portait au rouge son corps fait de métal et brûlait ses ennemis en les serrant contre sa poitrine.

Talos avait un point faible cependant. Au niveau de la cheville, sous sa peau métallique, se trouvait une veine. Si cette veine venait à s'ouvrir, Talos mourrait.

Lorsque, au loin, ils aperçurent l'énorme silhouette, les Argonautes projetèrent de débarquer sur l'île et de trancher à l'épée la veine du géant de métal. Mais la pensée de mourir écrasé par un rocher ou grillé sur le corps de Talos les faisait hésiter.

« S'approcher de ce monstre, dit Médée, c'est mourir. Voyez comment je vais nous en débarrasser à distance. »

Elle prononça alors des paroles magiques accompagnées de gestes mystérieux dans la direction de Talos. Instantanément, le géant fut frappé de visions. Il lâcha les rochers qu'il tenait dans ses bras et, comme s'il était attaqué par des milliers d'abeilles, se mit à tourner dans tous les sens en hurlant. Que vit-il en réalité ? Personne ne le sut jamais. Toujours est-il qu'à force de se défendre contre des ennemis invisibles, Talos se cogna contre un rocher qui lui déchira la cheville. En moins de temps qu'il n'en faut pour le dire, tout son sang s'échappa par sa veine déchiquetée et, quand les Argonautes abordèrent le rivage de l'île, il était mort.

LE RETOUR À IOLCOS

Une nuit, alors que l'Argo glissait sur la mer de Crète, le ciel s'assombrit si fortement qu'il devint impossible de continuer sans risquer de heurter un rocher. Plein d'angoisse, Jason supplia Apollon, le dieu de la lumière, de bien vouloir leur montrer la voie. Alors celui-ci, qui voulait récompenser les Argonautes pour leur courage, lança du haut du ciel un trait de lumière étincelant qui éclaira une petite île, tout à côté de l'Argo. Là, les guerriers attendirent le lever du jour avant de continuer leur route vers leur patrie. Quand, à la tombée du jour suivant, le navire aborda les côtes de la Thessalie, le voyage de Jason et des Argonautes prenait fin. Mais pas pour autant leurs aventures.

Averti par un pressentiment, Jason questionna un marin d'Iolcos avant de présenter la Toison d'or au roi Pélias.

« Jason ! répondit le marin. Tout le monde te croyait mort ! Aussi le roi a-t-il fait tuer tes parents. Et si tu franchis les portes de la ville, il te fera tuer aussi ! »

Jason réunit tous ses soldats autour de lui et tint un conseil de guerre. Tous étaient d'avis que Pélias méritait la mort. Mais les Argonautes, épuisés par leur longue quête, n'avaient ni le courage ni la force d'assiéger une ville en armes. Il fallait retourner chez soi, constituer une nouvelle armée et attaquer la ville. Médée prit la parole :

« Je prendrai la ville, dit-elle. Et je la prendrai seule. »

Comme les Argonautes se regardaient sans savoir que dire, elle ajouta :

« Cachez-vous sur une plage d'où vous verrez Iolcos. Lorsque vous apercevrez sur le toit du palais une torche allumée, cela signifiera que le roi est mort. Alors j'ouvrirai les portes de la ville et vous pourrez y pénétrer. »

La Mort de Pélias

Une fois le soir tombé, la magicienne prit avec elle une statue creuse d'Artémis, la déesse de la chasse, et douze esclaves. Elle habilla ces derniers d'une manière étrange et se transforma elle-même en vieille femme. Arrivée aux portes de la ville, elle dit d'une voix chevrotante :

« Je suis envoyée par Artémis pour apporter à votre ville la richesse et la chance. Au nom de la déesse, ouvrez ces portes. »

Les gardes n'osèrent pas désobéir et s'exécutèrent. Médée entra alors et se mit à danser frénétiquement avec ses esclaves, entraînant avec elle tous les habitants de la ville. Effrayé par le tumulte, Pélias appela Médée dans son palais pour la questionner.

« J'ai le pouvoir de rajeunir ce qui est vieux », lui dit-elle.

Et pour convaincre le roi qui doutait de ses paroles, elle redevint sous ses yeux la jeune femme qu'elle était.

« Ton pouvoir est grand, dit le roi, et je voudrais bien moi aussi redevenir le jeune homme que j'étais autrefois. Mais je veux d'abord voir de quelle manière tu procéderais pour me rendre ma jeunesse.

– Eh bien, roi incrédule, amène-moi un vieux bélier et tu verras comment j'en ferai une jeune bête. »

Le roi ordonna donc d'apporter un bélier que Médée fit découper en morceaux puis bouillir dans une marmite. Quand l'eau redevint froide, elle en sortit un jeune bélier. En réalité, Médée avait caché le jeune animal dans la statue creuse d'Artémis. Le roi se laissa tromper par cette ruse.

« Faites tout ce que cette magicienne vous commandera », dit-il à ses enfants.

Et c'est ainsi que, après avoir endormi Pélias, Médée exigea qu'ils découpent le roi en morceaux, comme elle l'avait fait pour le bélier. Puis elle leur demanda de monter sur le toit du palais, d'y allumer des torches et de prier la lune. Pendant qu'ils exécutaient ses ordres, Médée ouvrit les portes de la ville. Les Argonautes, qui avaient vu le signal convenu, se précipitèrent dans Iolcos où ils ne rencontrèrent aucune résistance.

Au terme d'un voyage de plusieurs mois, Jason et les Argonautes étaient enfin revenus de leur mission avec la Toison d'or. Jason pouvait légitimement devenir le roi d'Iolcos. Mais pendant tout ce temps, il avait découvert d'autres pays et d'autres villes plus grandes et plus belles. Et lorsque Médée, qui était la seule héritière du royaume de Corinthe dont son père Aeétès était originaire, lui proposa d'en devenir le roi, Jason n'hésita pas une seule seconde. Dès le lendemain, il repartit vers Corinthe où il régna de nombreuses années dans la prospérité et le bonheur, au côté de son épouse.

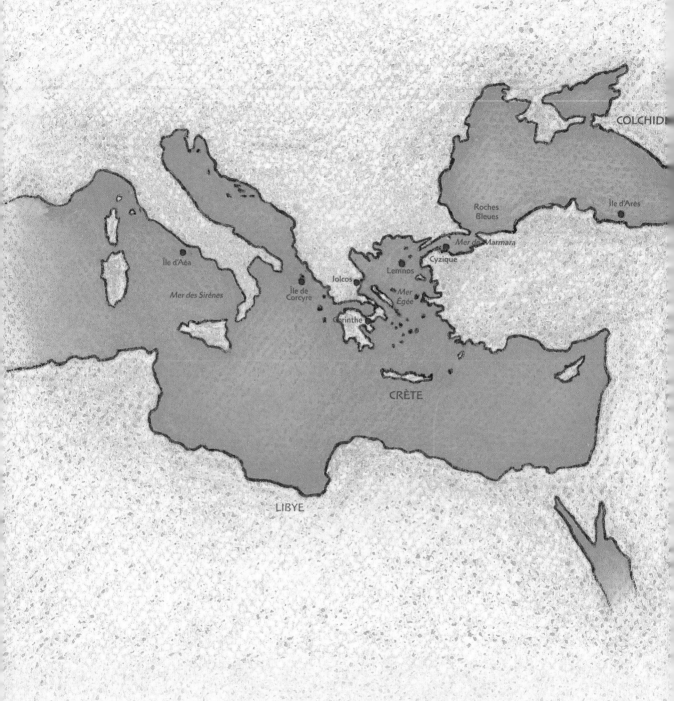

COLCHIDE

Roches
Bleues

Île d'Arès

Mer de Marmara

Île d'Aéa

Cyzique

Lemnos

Jolcos

Île de
Corcyre

Mer des Sirènes

Mer
Égée

Corinthe

CRÈTE

LIBYE

INDEX

TABLE DES MATIÈRES

© 2000, Hachette Livre / Gautier-Languereau pour la première édition.
© 2007, Hachette Livre / Gautier-Languereau pour la présente édition.
ISBN : 978-2-01-391201-3
Dépôt légal: mai 2010 – édition 02
Loi n° 49–956 du 16 juillet 1949 sur les publications destinées à la jeunesse.
Imprimé en Espagne chez Graficas Estella.